Verner Panton   Notes on Colour   Lidt om Farver

Danish Design Centre   Dansk Design Center

Verner Panton:
Notes on Colour/Lidt om Farver

Published by/Udgivet af:
Danish Design Centre
Dansk Design Center
Vesterbrogade 1 C
DK-1620 København V

Tel: (+45) 33 69 33 69
Fax: (+45) 33 69 33 00
E-mail: design@ddc.dk
WWW: www.ddc.dk

ISBN:
87-87385-88-0

Layout:
Verner Panton
Susanne Schenstrøm

Assistant/Sekretær:
Rina Troxler

Edition/Udgave:
English/Danish 1997

Translation/Oversættelse:
Dr Margaret Malone (pp 1-24)
Dorte Herholdt Silver (pp 25-48)

Paper/Papir:
Consort Royal 250 g (cover/omslag)
Consort Royal 150 g (contents/indhold)

Colour reproduction/Repro:
HighTech PrePress A/S

Printed in Denmark by/Trykt af:
Johnsen + Johnsen a/s
SLM Grafisk

Photographers/Fotografer:
Svend Bessing (p 3)
Arthur Christiansen/Biofoto (p 2)
Jens Frederiksen (p 42, 43)
Tine Harden/Polfoto (p 1)
Peter Marling/Biofoto (p 48)
Elin Rand Nielsen (p 6, 8)
Hans Petersen (p 23)
Rex/Polfoto (p 5)
Viggo Rivad/Billedhuset (p 7)
Saab Automobile AB (p 40, 41)
Gösta Sandberg + Lena Nessle (p 21)
Strüwing (p 38)
Erik Thomsen (p 48)
Jes Vagnby MAA (p 24)

Verner Panton

Notes on Colour

Lidt om Farver

Danish Design Centre

Dansk Design Center

Notes on Colour	**Lidt om Farver**	
What is colour?	Hvad er farve?	1
The structure of the eye	Øjets konstruktion	4
The history of colours	Farvernes historie	6
Harmony	Harmoni	10
The psychology of colour	Farvepsykologi	14
Spoken and thought about colours	Hørt og tænkt om farver	20
More courage about colours	Mere mod til farver	24
Function	Funktion	25
A natural colour system	Et naturligt farvesystem	27
Colour to fit a purpose	Farve til formålet	28
Colour, symbolic value and size	Farve, symbolværdi og størrelse	30
Colours for product differentiation	Farve til produkt-differentiering	32
Colours for model differentiation	Farve til model-differentiering	34
Colour for the indication of functions	Farver til markering af funktioner	36
Colours that move with the times	Farver, der følger med tiden	38
Colour and safety	Farve og sikkerhed	40
Visible or invisible colours	Synlige eller usynlige farver	42
Colour ratios as a signal	Blandingsforhold som signal	44
Colour for marking a visual identity	Farve til markering af identitet	46
Literature	Litteratur	48

Choosing colours
should not be a gamble.

It should be
a conscious decision.

Colours have
meaning and function.

Verner Panton

Valg af farver
rafler man ikke om.

Det bør være
en bevidst beslutning.

Farver har
mening og funktion.

Verner Panton

physical perception - they really don't exist at all. Yellow is yellow only in our thoughts. It is only the function of our eyes that creates colour.

Everything in our surroundings has a colour - only water (distilled) and schnapps are colourless! Colourless is only what light can penetrate completely.

A colour has its origin in the purely physical world. It originates in light rays being reflected from or penetrating a substance.

The things we see get their colour and appearance from rays of light. The rays of light hit an object, are reflected by or penetrate it and are picked up by the eye. Some of them are absorbed by the object thus changing the intensity and composition of the reflecting or penetrating light.

When pure, white light penetrates a prism we see the colour spectrum. The spectral colours range from red to violet. However, there are also short (ultraviolet) and long (infrared) colour waves in the

Verner Panton

opfattelse, de eksisterer egentlig ikke. Gult er kun gult i vore tanker. Først vore øjnes funktion skaber farven.

Alt i vore omgivelser har farve, farveløst er kun vand (destilleret) og - snaps! Farveløst er kun det, der lader lyset trænge fuldt igennem.

En farve har sin oprindelse i den rent fysiske verden. Den opstår ved, at lysstråler enten reflekteres fra eller trænger igennem en materie.

De ting, vi ser, får deres farve og udseende af lysets stråler. Lysstrålerne rammer en genstand, reflekteres af eller trænger igennem denne og opfanges af øjet. En del af lysstrålerne opsuges af genstanden. Derved bliver det reflekterede eller gennem-trængende lys ændret i styrke og sammensætning.

Når rent, hvidt lys trænger igennem et prisme, ser vi farvespektret. Spektrets farver, spektralfarverne, rækker fra rødt til violet. Der findes dog også korte (ultraviolette) og lange (infrarøde) farvebølger i spektret, der ikke kan

spectrum which cannot be perceived by the eye. Infrared rays form c 90% of the rays of light from a standard light bulb.

The perception of colour depends on the source of the light. The sun is our most important source of light.

Daylight is rich in blue tones. In contrast the standard light bulb does not contain much blue or violet but has a great deal of yellow, orange and red.

Sunlight has a more golden tone. When it falls on fresh snow it looks more yellowish while fresh ski tracks cast a blue shadow because of the pure light from the sky.

Textiles seem to have different shades of colour by daylight and by lamplight. A scarlet material seem to be intensely red by lamplight and bluish in daylight. A blue-green material seems less blue by lamplight than daylight.

When an object reflects more than 80-90% of the light falling on it we perceive it as white. When it absorbs more than 95% of the light it appears black.

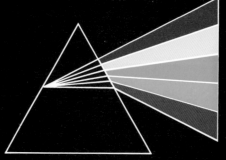

opfattes af øjet. Infrarøde stråler udgør ca 90% af strålerne fra en standard-glødepære.

Farveoplevelsen afhænger af lyskilden. Solen er vor vigtigste lyskilde.

Dagslyset er rigt på blå farver, hvorimod standardgløde-pæren kun indeholder lidt blåt og violet, men til gengæld meget gult, orange og rødt, altså farver med en forholdsvis lang bølgelængde.

Sollyset har en mere gylden tone. Når det falder på frisk sne, ser den mere gullig ud, mens de friske skispor kaster en blå skygge på grund af det rene himmellys.

Tekstiler ser i dagslys ud til at have andre farvetoner end i lampelys. Et purpurrødt stof virker stærkt rødt i lampelys, mens det i dagslys virker blåligt. Et blågrønt stof virker mindre blåt i lampelys end i dagslys.

Når en genstand reflekterer mere end 80-90% af det indfaldende lys, opfatter vi den som hvid, og når den opsuger mere end 95% af lyset, synes den sort.

'A Phantasy landscape' by/af Verner Panton,
Visiona II, Cologne/Köln 1970.

3

The structure of the eye

Unlike most animals, human beings are able to perceive both the quantitative and the qualitative differences in light. This is called colour vision. Let us look for a moment at the structure of the eye and how sight functions:

At the front of the eye, protected by the cornea is a diaphragm, the pupil, which controls the amount of light that comes in. Behind the pupil is the lens through which the incoming light is refracted. The lens changes its thickness with the help of a muscle so that we can see clearly whether the object is near or far away.

From the lens the light penetrates the vitreous body and hits the retina at the back of the eyeball. The retina contains light-sensitive nerve-endings and colour cells. These transmit what is seen as impulses via the optic nerve to the two parts of the brain, the neocortex and the limbic system (mid-brain and brain-stem) where the image is processed. The neocortex is responsible for conscious, rational thought, the limbic system for emotional reactions.

Øjets konstruktion

Mennesket kan, i modsætning til de fleste dyr, både opfatte lysets kvantitative og kvalitative forskelle. Dette kaldes farvesyn. Lad os se lidt på, hvordan øjet er konstrueret, og hvordan synet fungerer:

Forrest i øjet, beskyttet af hornhinden, sidder en blænde, pupillen, der styrer mængden af indfaldende lys. Bag pupillen sidder linsen, som det indfaldende lys brydes igennem. Ved hjælp af en muskel ændrer linsen sin tykkelse, således at vi ser skarpt, uanset om det sete er tæt på eller langt væk. Ved brydning gennem linsen formindskes det sete og vendes på hovedet

Fra linsen trænger lyset gennem glaslegemet og rammer nethinden, retina, på øjets bagvæg. Nethinden er forsynet med lysfølsomme nerveceller (stave) og farveceller (tappe). Disse videresender det sete som impulser via synsnerven til de to dele af hjernen, neocortex og det limbiske system (midthjernen og hjernestammen), hvor det sete forarbejdes. Neocortex er ansvarlig for den bevidste, rationelle tænkning, det limbiske system for de følelsesmæssige reaktioner.

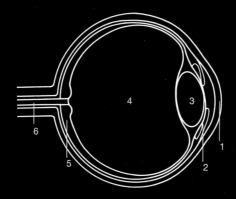

1. Cornea/Hornhinde
2. Pupil/Pupil
3. Lens/Linse
4. Vitreous body/Glaslegeme
5. Retina/Nethinde
6. Optic nerve/Synsnerve.

This sounds complicated and it's going to get worse.

The limbic system reacts to the exotic or unusual qualities of the colour such as lightness, shine or glimmer and to the symbolic meanings such as the association between red and fire or blood. In contrast the neocortex reacts to the more subtle colours, colours that are regarded as cultivated.

The human eye is such a unique instrument that it can distinguish between 10 million nuances of colour.

Peter Smith says that it is a feature of great art that it creates tension between the logical and the emotional reaction. Until recently, modern architecture limited itself to exploring the cerebral reaction to colours and denied itself the emotional satisfaction of radiant colours as one can experience them e g in Las Vegas.

Every single person reacts differently to colour. 0.5% of all women and 7% of all men suffer from colour blindness.

Las Vegas.

Det lyder indviklet, og det bliver værre endnu.

Det limbiske system reagerer på farvens eksotiske eller usædvanlige kvaliteter, såsom lyshed, glans eller glimmer, og på de symbolske betydninger som f eks associationen mellem rødt og ild eller blod. Som kontrast reagerer neocortex på de mere subtile farver, - farver, der betragtes som kultiverede.

Det menneskelige øje er et så enestående instrument, at det kan skelne mellem 10 millioner farvenuancer.

Peter Smith siger, at et kende-tegn ved stor kunst er, at den skaber en spænding mellem den logiske og den følelses-mæssige reaktion. Indtil for nylig har moderne arkitektur indskrænket sig til at udforske den cerebrale reaktion på farver og nægtet sig den emotionelle tilfredsstillelse ved strålende farver, som man f eks oplever dem i Las Vegas.

Hvert enkelt menneske reagerer forskelligt på farver. 0,5% af alle kvinder og 7% af alle mænd lider af farvefejlsyn.

The history of colours

As far as we know colours were first used for decorative purposes 150-200,000 years ago. During the Ice Age the dead were buried in red or ochre or their bones were painted red. Red was the 'life-giving' colour. The red colour of blood indicated the border-line between life and death.

The first artist we know of is a Cro-Magnon whose work we can see in the famous Cuevas de Altamira in Santillana del Mar in Spain. There are corresponding cave paintings from ca 20,000 BC in the Lascaux caves in France.

The first colours were made from blood, earth and plants. Yellow, orange, red, brown (ochre) and black were known. It is only in about 4,500 BC that one meets with blue in the Mesopotamian Halaf culture.

The Egyptians used malachite green as a cosmetic colourant at the end of the 5th millennium, before the known dynasties.

From about 4,000 BC a wider colour scale began to be used in art (ceramics, sculptures, wall paintings).

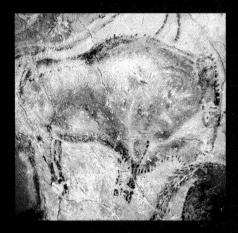

Cuevas de Altamira, Santillana del Mar, Spain/Spanien.

Egyptian temple/Ægyptisk tempel.

Farvernes historie

Til dekorative formål blev farver, så vidt vi ved, første gang brugt for 150-200.000 år siden. I istiden begravede man de døde i rødt eller okker eller malede deres knogler røde. Rødt var den 'livgivende' farve. Blodets røde farve antydede grænsen mellem liv og død.

Den første kunstmaler, vi kender, er en Cro-Magnon, hvis arbejde vi kan se i de berømte Cuevas de Altamira ved Santillana del Mar i Spanien. Tilsvarende hule-malerier fra ca 20.000 f Kr finder vi i Lascaux-grotterne i Dordogne i Frankrig.

De første farver fremstillede man af blod, jord og planter. Man kendte gult, orange, rødt, brunt (okker) og sort. Først ca 4.500 f Kr møder man blåt i den mesopotamiske Halaf-kultur.

I Ægypten brugte man malakit-grønt som kosmetisk farvestof allerede i slutningen af det femte årtusind, altså inden de kendte dynastier.

Fra ca 4.000 f Kr begyndte man i kunsten (keramik, skulpturer, vægmalerier) at arbejde med en større farveskala.

From about 3,000 to 2,500 BC the Sumerians created a culture extremely rich in colour. The Phoenicians discovered scarlet which they made from snails and used for dying cloth.

Then came the Egyptians with indigo, blue and violet. In the temples of ancient Egypt the floors were painted green to reproduce fertile meadows. The ceilings were painted the blue of the heavens.

The walls of the old Chinese capital of Beijing were painted red and the roofs of the buildings were yellow as camouflage against the evil spirits that flew above them.

In the Minoan period, ca.1,600-1,400 BC, knowledge about colour came from Crete to Athens. Late Minoan culture was apparently the first to use contrast colours such as light blue with yellow or red with blue.

The Greeks took over these colours in about 600-400 BC. They painted on all materials except silver and gold.

The statues were painted flesh colour with painted hair, eyes and lips. The temples of the Acropolis, at Olympia, Delphi and Corinth were painted in

The Forbidden City/Den forbudte By, Beijing/Peking.

Kore statue.

Fra ca 3.000 til 2.500 f Kr skabte sumererne en kultur med en stor farverigdom. Fønikerne opfandt purpurrødt, som de udvandt af snegle og brugte til at farve stof med.

Siden kom ægypterne med indigo, blåt og violet. I det gamle Ægyptens templer var gulvene malet grønne for at gengive frugtbare enge. Lofterne var malet i himlens blå.

I den gamle kinesiske hovedstad Peking var bymurene malet røde, og bygningernes tage var gule - som camouflage mod onde ånder, der fløj ovenover.

I den minoiske kulturs tid, ca 1.600 - 1.400 f Kr kom viden om farver fra Kreta til Athen. Den senminoiske kultur var åbenbart den første, der brugte kontrastfarver, såsom lyseblåt med gult eller rødt med blåt.

Grækerne overtog disse farvestillinger ca 600-400 f Kr og bemalede alle materialer undtagen sølv og guld.

Statuer var malet hudfarvet, med malet hår, malede øjne og læber. Templerne på Akropolis, i Olympia, Delfi og Korint var malet i stærke farver og ikke kun i de lysebrune og hvide

bright colours and not merely in the light brown/beige and white tones which we can see today. The Parthenon, long regarded as a monument of purity in form and monochrome colour, was undoubtedly painted and gilded.

The Romans took over the use of colour on their buildings (but not their statues) and their influence spread out all over Western Europe where it remained for several centuries.

There are not many traces left of the richness of colour of the past. The majority of the pigments used were not fast to light and quickly faded. The binding agents used were not very good either (e g the Greeks used molten wax); they were broken down and washed away by wind and weather.

It is all so long ago that I really can't remember if it's right.

It was only in the middle of the last century that it became possible, through chemistry, to manufacture really lasting colour pigments and binding agents. But even today chemists have not been able to manufacture pigments for all the colours of the spectrum.

Greek/Græsk vase.

King Horenheb's grave, Egypt
Kong Horenheb's grav, Ægypten.

toner, som de har i dag. Partenon, som man længe betragtede som et monument af renhed i form og mono- kromatisk farve, var utvivlsomt malet og forgyldt.

Romerne overtog brugen af farver på deres bygninger (omend ikke på deres statuer), og deres indflydelse bredte sig til hele Vesteuropa, hvor den holdt sig i århundreder.

Nu om dage finder vi kun svage spor af fortidens farverigdom. Størstedelen af de anvendte farvepigmenter var ikke lysægte og falmede hurtigt. Desuden var de bindemidler, man havde til rådighed, ikke særlig gode (grækerne brugte f eks smeltet voks), så de blev nedbrudt og vasket bort af vind og vejr.

Det hele er så længe siden - jeg kan desværre ikke huske, om det er rigtigt.

Først i midten af forrige århundrede lykkedes det ad kemisk vej at fremstille virkelig holdbare farvepigmenter og bindemidler. Men selv i dag er det ikke lykkedes kemikerne at fremstille pigmenter til alle spektrets farver.

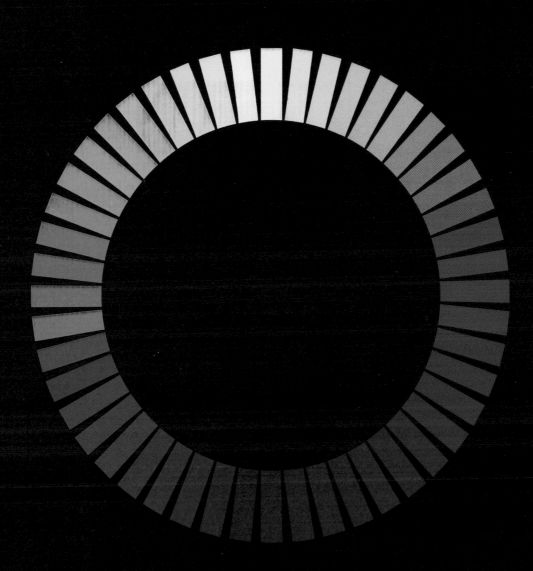

Barding's colour circle/
Barding's farvecirkel.

Harmony

The primary colours are the
three basic colours - red,
blue, yellow. All colours can
be mixed from the primary
colours plus white and black.

The secondary colours, orange,
green and violet, are a mixture
of two primary colours:
Orange = yellow + red
Green = yellow + blue
Violet = red + blue

The tertiary colours, yellow-
orange, red-orange, red-violet,
blue-violet, blue-green, and
yellow-green are a mixture
of a primary colour and one
of its 2 secondary colours.

Complementary colours
are two colours that lie
opposite one another in the
colour circle. For this reason
the primary colour that is
contained in the one colour
is not present in the other.

In the case of pure colours
one talks about the colour
itself. When the pure colours
are mixed with white one
speaks of the lightness of
the colours. When mixed with
black one talks of saturation.

Man's natural inclination to
systematize things has led

Harmoni

Primærfarverne er de tre
grundfarver rød, blå, gul. Alle
farver kan blandes af primær-
farverne plus hvidt og sort.

Sekundærfarverne orange,
grønt og violet er en blanding
af to primærfarver:
Orange = gul + rød
Grøn = gul + blå
Violet = rød + blå

Tertiærfarverne gulorange,
rødorange, rødviolet, blåviolet,
blågrøn og gulgrøn er en
blanding af en primærfarve og
en af dens 2 sekundærfarver.

Komplementærfarver er to
farver, der i farvecirklen ligger
lige over for hinanden. Derfor
er den primærfarve, der er
indeholdt i den ene farve, ikke
til stede i den anden.

Ved rene farver taler man om
farvernes kulør. Når de rene
farver blandes med hvidt,
taler man om farvernes lyshed.
Når de blandes med sort, taler
man om farvernes mættethed.

Menneskets naturlige trang til
at sætte tingene i system har
ført til, at mange kunstnere,
fysikere og filosoffer i tidens
løb har forsøgt at opstille
farveteorier og -systemer.

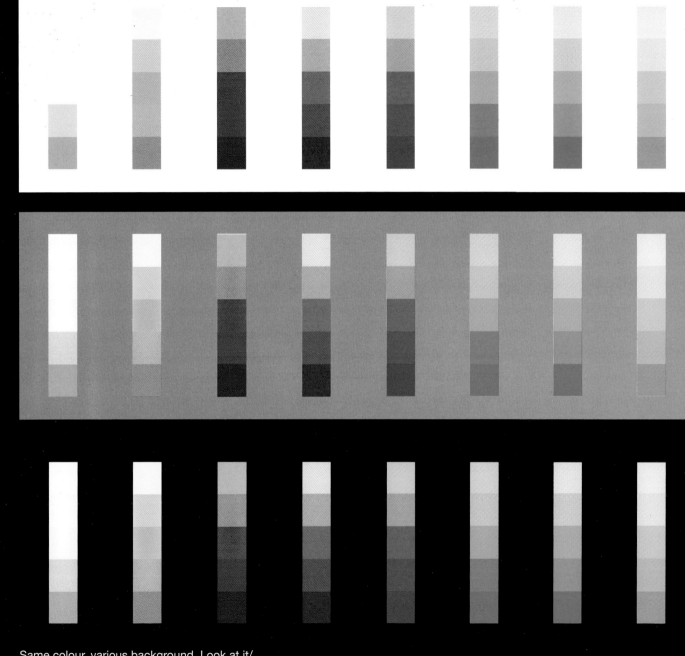

Same colour, various background. Look at it/
Samme farve, forskellig baggrund. Se på det. 11

many artists, physicists and philosophers to formulate systems of colour.

Aristotle was the first but in contrast to the rest of his work, his colour system is not relevant today.

Most of the systems are based on 3 or 4 main colours, others are more complicated. In theory all colours can be mixed from three colours plus black and white, but such a scale is lacking something on the cold side if one compares it with the rainbow (daylight).

Johannes Itten used a colour circle divided into twelve and defined harmonies as follows:

Triad: A combination of three colours placed at equal distances in the colour circle.

Tetrad: A combination of four colours placed at equal distances in the colour circle.

Ostwald among others has also worked with similar systems of harmony. These so-called harmonies should be considered as a help only.

Beautiful can be ugly.
Ugly can be beautiful.

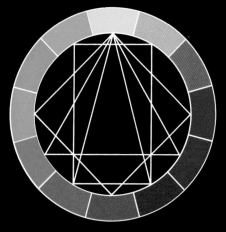

Johannes Itten's
colour harmonies/farveharmonier.

Den første var Aristoteles, men hans farvesystem er ikke relevant i dag, i modsætning til hans øvrige værk.

De fleste systemer bygger på 4 hovedfarver, andre på 3 - enkelte er meget indviklede. Systemer, der bygger på tre farver, mangler noget i den kolde side, sammenlignet med farvespektret. Det er nok grunden til, at de fleste arbejder med 4 hovedfarver, altså gult, rødt, blåt og grønt.

Johannes Itten anvendte en tolvdelt farvecirkel og definerede harmonier sådan:

Treklang: En kombination af tre farver, der ligger med lige stor indbyrdes afstand i farvecirklen.

Firklang: En kombination af fire farver, der ligger med lige stor indbyrdes afstand i farvecirklen.

Ostwald og andre har også arbejdet med lignende farve-harmonisystemer. Disse bør ikke betragtes som en endelig løsning, men er for mange en hjælp.

Smukt kan være grimt.
Grimt kan være smukt.

Colour systems/Farvesystemer:

Della Porta	1593	Munsell	1905
Aguilonius	1613	Rood	1910
Kircher	1646	Munsell	1915
Newton	1660	Ostwald	1917
Waller	1686	Klee	1924
Lambert	1772	Boring	1929
Goethe	1793	Pope	1929
Runge	1810	C.I.E.	1931
Herschel	1817	Johansson	1939
Schreiber	1840	Hickethier	1940
Maxwell	1872	Rösch	1953
Wundt	1874	C.I.E.	1953
Von Bezold	1876	Luther-Nyberg	1953
Höfler	1883	Hesselgren	1955
Titchener	1887	Hård	1968
Chevreul	1889	Küppers	1972
Wundt	1893	Gerritsen	1975
Ebbinghaus	1902		

The most frequently used systems are/
De mest aktuelle farvesystemer er:

NCS (Hård 1968):
Used by manufacturers of paint/
Anvendes af farvefabrikanter.

Pantone:
Used in printing/Trykkeribranchen.

RAL:
Used in industry/Anvendes i industrien.

Della Porta 1593

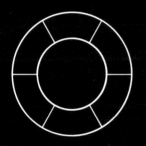

Goethe 1793

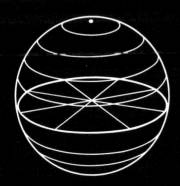

Wundt 1874

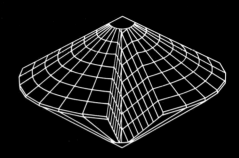

Ostwald 1917

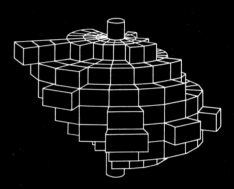

Munsell 1915

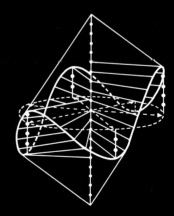

Gerritsen 1975

*And every day someone else
invents a new colour system!*

*Og der sidder hver dag nogen
og opfinder nye!*

The psychology of colour

Colours influence our lives, moods, our humour and our working capacity. Colours can induce high spirits or contribute to a depressed atmosphere.

There have been many scientific investigations of the effects of colours.

When looking at red, the pulse beats faster, when looking at blue the pulse beats more slowly. Under the influence of red the passage of time is over-estimated, under the influence of blue it is under-estimated. Red is inspiring and provides an atmosphere for good ideas.

Blue is excellent for working with the ideas. Red light promotes the growth of plants and accelerates the development of several of the lower species of animals. Red stimulates hormonal and sexual behaviour.

Many characteristics and meanings have also been attributed to colours. I have collected some of these psychological interpretations.

Farvepsykologi

Farverne indvirker på vores liv og på vore stemninger, på vort humør og vor arbejds-evne. Farver kan give opstemt-hed, og de kan give en nedtrykt atmosfære.

Der er gjort masser af videnskabelige iagttagelser af farvernes virkning.

Ved at betragte rødt slår pulsen hurtigere, ved at betragte blåt slår pulsen langsommere. Under indflydelse af rødt bliver tidsforløb overvurderet, under indflydelse af blåt bliver tidsforløb undervurderet. Rødt giver inspiration og formidler en atmosfære for gode ideer.

Blåt er udmærket, når der skal arbejdes med ideerne. Rødt lys fremmer planternes vækst og accelererer udviklingen af flere lavere dyrearter. Rødt forøger den hormonelle og seksuelle adfærd.

Man har også tillagt farverne mange egenskaber og betydninger. Jeg har samlet nogle af disse psykologiske tydninger.

Red is filled with tension, eccentric, exciting, supports the will to conquer. Red is potency - sexual and power. Red is movement, sport, battle, production, willpower, longing for adventure. Fire, alarm, fanaticism, activity, warmth, the present. Red is dynamic, aggressive, full of life. Red-orange is welcoming.

Rødt er spændingsfyldt, excentrisk, ophidsende, støtter erobringsviljen. Rødt er potens, både seksuelt og magtmæssigt. Rødt er bevægelse, sport, kamp, produktion, viljekraft, begærlighed efter oplevelse. Ild, alarm, fanatisme, aktivitet, varme, nutid. Rødt er dynamisk aggressivt, fuld af liv. Rødorange kommer mennesker i møde.

Yellow is joy, happiness, hope for liberty. Yellow shows the way forward and stands for the future and change. In Goethe yellow stands for common sense. Yellow stimulates spiritually, promotes conversation. With its warm lightness yellow gives an impression of ease. Yellow is liberating and encouraging.

Gult er glæde, lykke, håb om befrielse. Gult viser fremad og står for fremtid og forandring. Hos Goethe står gult for fornuft. Gult stimulerer åndeligt, fremmer samtale. Med sin varme lyshed giver gult indtryk af lethed. Gult virker befriende og opmuntrende.

Brown is heavy and dull, sensuous, comfortable stable warmth, without problems, security. Has a warming, subduing, calming effect. Suits older people.

Brunt er tungt og dumpt, sanseligt, behagelig staldvarme, problemløs tryghed. Virker varmende, dæmpende, beroligende. Passer til ældre mennesker.

Violet is an expression of identification, indecision, gaiety, but also seriousness, a tendency to be secretive. There is a partiality for violet among children, pregnant women and homosexuals.

Violet er udtryk for identifikation, ubeslutsomhed, festlighed, men også alvor, en tendens til at være hemmelighedsfuld. Man finder en forkærlighed for violet hos børn, gravide kvinder og homoseksuelle.

Blue is said to give an impression of relaxed sensitivity, calm and satisfaction, fidelity. Blue is also supposed to symbolize confidential friendship, love, femininity, calm nature, cleanliness. Dark blue gives depth, light blue width. In Goethe blue stands for the intellect.

Blåt skulle give udtryk for afslappet følsomhed, ro og tilfredshed, troskab. Blåt skulle også symbolisere fortroligt venskab, kærlighed, kvindelighed, roligt gemyt, renlighed. Mørkeblåt giver dybde, lyseblåt vidde. Hos Goethe står blåt for forstand.

Green is tense, hard, stable, outwardly defensive and inwardly protective. Green is also fear, inhibitions and warding off. Green is critical, analytical and rectangular. The ideal colour for the hard man. Green calms and evens out, lies between hot and cold, brings calm and security. In Goethe green stands for sensitivity.

Grønt er spændt, hårdt, stabilt, defensivt som forsvar udadtil og beskyttende indadtil. Grønt er også angst, hæmninger og afværgen. Grønt er kritisk, analytisk og retvinklet. Den hårde mands idealfarve. Grønt beroliger og udligner, ligger mellem varmt og koldt, bringer ro og tryghed. Hos Goethe står grønt for følsomhed.

Black, absolute darkness.
No to black means yes to colour.
Black/white is impersonal attitude
(waiters/waitresses) or larger-
than-life festivity (gala dress).
Black is serious, distinguished,
professional, compact. Is used
in areas where the colours of
other things are supposed to
make an impact, e g exhibition
rooms.

Sort, absolut mørke. Nej til sort
betyder ja til farve. Sort/hvidt er
upersonlig holdning (serverings-
personale), eller det er overper-
sonlig festlighed (festklædning).
Sort er alvorligt, fornemt, sag-
ligt, kompakt. Anvendes på
områder, hvor andre tings farver
skal virke, f eks i udstillingsrum.

Grey does not contain any
colour mixture and therefore
has no psychological overtones.
Grey means balance, lack of
passion and is the borderline
between yes and no, excitement
and relaxation. Those who prefer
grey shield themselves. Those
who reject grey are engaging them-
selves. Grey is passive, has little
life of its own. Grey everyday.

Gråt indeholder ingen farveblan-
ding og er derfor fri for enhver
psykisk tendens. Gråt betyder
ligevægt, frihed for ophidselse
og er grænsen mellem spæn-
ding og løsning, mellem ja og
nej. Den, der foretrækker gråt,
afskærmer sig. Den, der afviser
gråt, engagerer sig. Gråt er pas-
sivt, udlignende, beroligende,
har kun lidt eget liv. Grå hverdag.

White is pure and clear, neutral,
weightless, without tension.
White permits the highest degree
of human development. Mediates
between all shades of colour.

Hvidt er rent og klart, neutralt,
vægtløst, spændingsløst.
Hvidt tillader den frieste
menneskelige udfoldelse.
Formidler mellem alle
farveklange.

Small deviations can make a decisive difference to the psychological impact of a colour. A pure yellow with a streak of black gives mustard yellow or olive green, both tones which have little to do with the character of the original colour. The fresh, brilliant yellow is turned into something muddy, dull.

Whoever tries to find a system in questions such as these will generally come to the conclusion that the addition of dark shades to pure colours will change their character out of all proportion. The same is the case when light tones are added to the pure colours.

Små afvigelser kan ændre en farves psykiske virkning afgørende. En ren gul med et spor sort giver sennepsgult eller oliven, begge toner, der næppe har noget at gøre med den oprindelige farves karakter. Det friske strålende gule bliver vendt til det mudrede, stumpe.

Den, der søger en systematik også i disse spørgsmål, vil generelt konstatere, at tilsætningen af mørkt til rene farver vil ændre deres karakter overproportionalt. Det samme gælder, når man sætter lyst til de rene farver.

Red, which lies right between light and dark reacts sensitively to changes. Mixed with a streak of black red becomes brown which means reassurance. When a light colour is mixed into red, pink is the result which means readiness, openness to excitement. A small change in the temperature of the colour causes red to react sensitively.

In the direction of orange/warm, excitement becomes passion, something hectic. In the direction of cooler tones the excitement is subdued, the vitality is reined in, passion becomes reticence.

Green reacts like red between light and dark. In my opinion the least sensitive. In this way green confirms its character of equanimity and calm.

Psychology !!!

Rødt, der ligger midt mellem lyst og mørkt, reagerer særlig følsomt over for ændringer. Blandet med et spor sort bliver rødt til brunt, som betyder beroligelse. Med lyst blandet i rødt får man rosa, der betyder beredskab, åbenhed mod ophidselse. Selv ved en ringe ændring i farvetemperaturen reagerer rødt følsomt.

I retning orange/varmt bliver ophidselse til lidenskab, til noget hektisk. I retning mod køligere toner bliver ophidselsen dæmpet, kræfterne tilbageholdt, lidenskaben bliver til tilbageholdenhed.

Grønt reagerer som rødt mellem lyst og mørkt. Efter min mening mindst følsomt. Grønt bekræfter derved sin karakter af ligevægt og ro.

Psykologi !!!

Spoken and thought about colours

I am not fond of white. The world would be more beautiful without it. There should be a tax on white paint.

There are no ugly colours, only ugly combinations of colours. A colour must be judged in the context of other colours - never alone.

People get annoyed if one likes colours. They also get annoyed at people with imagination. Most people want what they are used to.

Goethe painted the rooms in his Weimar house in different colours. Unwanted guests got a cold blue room which made them leave faster. The dining-room was in warm yellow; there is always sun in a yellow room. Goethe himself worked in a green garden room.

Dark-eyed people are much more sensitive to colour than light-eyed people. On the other hand light-eyed people are more sensitive to forms.

The expression 'blue Monday' comes from the indigo dyers. They dyed their cloth on a Friday and as indigo dyeing is a process of oxidization, it took Saturday, Sunday and Monday before the dyeing was completed. Therefore dyers had Monday off. Blue Monday.

In German one says 'yellow with envy'. In English it's called 'green with envy'. Both expressions have something to do with bile. Mondrian banished green from his thoughts and sight.

Goethe's green study/
Goethe's grønne arbejdsværelse.

Once when he was visiting Kandinsky he changed seats with his host so that he could sit with his back to the window to avoid seeing the green of the trees.

The architect Hans Hansen thought that the colour of grass was dreadfully banal.

Hope is light green.

When mink are kept behind pink glass they become aggressive and their capacity to reproduce themselves declines. After about a month, mink who are kept behind blue glass become amenable even tame and they reproduce at the optimum.

A study of the colours preferred by the elderly (90 people between the ages of 65 and 89) has shown that they clearly prefer primary, secondary and tertiary colours to pale pastel shades. Therefore it is a bad idea to paint the walls of old people's homes and nursing homes in nice, boring pastel colours.

The clothing manufacturers who still make dresses for 'the mature woman' in dull grey, brown and black should also hurry up and change their policy.

The concepts of 'the blue stamp', 'the blue book', and 'blue blood', indicate the highest quality. Blue was the colour of kings, royal blue.

In ancient China yellow was the Emperor's colour. It was the finest colour which nobody else was allowed to wear.

Hørt og tænkt om farver

Jeg er ikke begejstret for hvidt. Verden ville være smukkere uden. Der burde være ekstra-skat på hvid farve.

Der findes ikke grimme farver, kun grimme kombinationer af farver. En farve må bedømmes i sammenhæng med andre - aldrig alene.

Folk bliver sure på én, hvis man kan lide farver. Det bliver de også på folk med fantasi. De fleste vil helst have det, de er vant til.

Goethe malede rummene i sit Weimar-hus i forskellige farver. Uønskede gæster fik et koldt blåt rum; så rejste de hurtigere. Spisestuen var varm gul; i et gult rum er der altid solskin. Goethe arbejdede selv i et grønt haveværelse.

Mørkøjede mennesker er meget mere farvefølsomme end lysøjede mennesker. Til gengæld er folk med lyse øjne mere følsomme over for former.

Udtrykket 'blå mandag' stammer fra indigofarverne. De farvede deres stoffer om fredagen, og da indigofarvning er en iltningsproces, krævede det lørdag, søndag og mandag, før farven var færdig. Det betød, at farverne havde fri om mandagen. Blå mandag.

På tysk siger man 'gul af misundelse', på dansk og engelsk hedder det 'grøn af misundelse'. Begge dele har noget at gøre med galden.

Mondrian bandlyste grønt, ikke bare fra sine tanker, men også fra sit syn.

Indigo dyers/Indigofarvere, Nigeria.

Da han engang besøgte Kandinsky, byttede han plads med denne for at komme til at sidde med ryggen til vinduet, så han ikke så træernes grønne farve.

Arkitekten Hans Hansen syntes, at farven på græs var frygtelig banal.

Håbet er lysegrønt.

Mink, der holdes bag lyserødt glas, bliver aggressive og deres evne til at formere sig aftager.

Bag blåt glas bliver mink efter ca en måneds forløb medgørlige, sågar håndtamme og formerer sig optimalt.

Et studie over foretrukne farver blandt ældre mennesker (90 personer fra 65 til 89 år) har vist, at de foretrækker klare primær-, sekundær- og tertiærfarver frem for blege pastelfarver. Det er derfor en dårlig idé at male væggene på alderdoms- og plejehjem i pæne, kedelige pasteltoner.

De konfektionsfirmaer, der stadigvæk syr kjoler til 'den modne' kvinde i dystre grå, brune og sorte farver, bør også skynde sig at tænke om.

Begreberne 'blåt stempel', 'blå bog' og 'blåt blod' kendetegner højeste kvalitet. Blåt var kongernes farve, kongeblåt.

I det gamle Kina var gult kejserens farve. Det var den fornemste farve, som ingen anden måtte klæde sig i.

Green is the colour of the prophet Mohammed and in most Islamic countries green is preferred to all other colours.

Black stands for evil, darkness, terror and unhappiness.

Villains are black, heroes white.

The Pope is dressed in white, bridal gowns are white, white doves are symbols of peace.

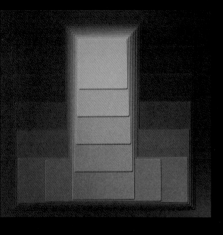

Karl Gerstner.

The white flag means capitulation.

In China and Japan white is the colour of sorrow and burial.

Itten says that light blond types with blue eyes and a pink complexion usually prefer the very pure colours.

According to people's vitality the colours they prefer can be more or less pale. People with black hair, dark skin and brownish-black eyes prefer to mix the pure colours with black.

What is the most important, colour or form? This question has preoccupied the wise for centuries.

Kant said: 'In painting, in sculpture, yes in all the visual arts, in the art of building, of making gardens, the sketch is the most important, not just what supports but what pleases, the basis of taste'.

In the seventeenth century the question of the supremacy of colour or form was the cause of an academic war.

The followers of Poussin, the Poussinists, fought for form while the followers of Rubens, the Rubinists, attributed the greatest significance to colour.

Schiller wrote about Rubens' large paintings: 'I cannot shake off the thought that these colours are lying to me because they seem to be different depending on the way the light falls on them or whether the angle from which I see them is the one or the other.

The bare outline would give me a truer picture'.

Diderot said that the sketch gives things their form, the colour life. Colour is the divine spirit that breathes life into everything. All depiction of form without colour is symbolical.

Colour alone makes the work of art true, makes it approach reality.

Piet Mondrian.

Needless to say, scholars disagreed.

To me colour is more important than form. However, this is not the case when I am looking at women.

22

Grønt er profeten Muhameds farve, og i de fleste muslimske lande foretrækker man grønt frem for alle andre farver.

Sort står for det onde, mørke, skræk og ulykke.

Skurken er sort, helten hvid.

Paven går altid i hvidt, brudekjoler er hvide, den hvide due er symbolet på fred.

Peter Paul Rubens.

Hvidt flag betyder kapitulation.

I Kina og Japan er hvidt sorgens og begravelsens farve.

Itten siger, at lysblonde typer med blå øjne og rosa teint som reglen foretrækker de meget rene farver.

Alt efter menneskets vitalitet kan de foretrukne farver være mere eller mindre blege. Mennesker med sort hår, mørk hud og sortbrune øjne foretrækker at blande de rene farver med sort.

Hvad er vigtigst, farve eller form? Dette spørgsmål optog kloge hoveder i århundreder.

Kant sagde: 'I maleriet, i billedhuggerkunsten, ja i alle bildende kunster, i byggekunsten, havekunsten er tegningen det væsentlige, ikke blot det, der underholder, men det, der behager, grundlaget for smagen'.

I det 17 årh udløste spørgsmålet om farvernes eller formens forrang en akademisk krig.

Poussins tilhængere, Poussinisterne, stredes for formen, mens Rubens' tilhængere, Rubinisterne, tillagde farven den største betydning.

Schiller skrev om Rubens' store billeder: 'Jeg kan ikke blive fri for tanken om, at disse farver fortæller mig en usandhed, for de virker forskelligt farvede, alt efter om lyset falder på den ene eller den anden måde - eller om standpunktet, hvorfra jeg ser dem, er det ene eller det andet.

Det blotte omrids ville give mig et mere sandt billede.'

Diderot sagde, at tegningen giver tingene deres skikkelse, farven livet. Farven er den guddommelige ånd, der giver alting liv. Al afbildning af form uden farve er symbolsk.

Farven alene gør kunstværket sandt, får det til at nærme sig virkeligheden.

Nicolas Poussin.

Det tør nok siges, at de lærde var uenige.

For mig er farven vigtigere end formen. Dette gælder dog ikke, når jeg ser på damer.

More courage about colours

It saddens me that so many people do not understand that colours are a dimension which can add to the experience.

Using colours is like life. One must have a goal. The goal can be almost anything - also to make the most awful colour combinations.

In all important periods of style, colour was integrated in the creation of space: A room can be merry or gloomy, warm or cool, cheap or dignified.

In the kindergarten one learns to love and use colours. Later on, at school and in life one learns something called taste. For most people this means limiting their use of colours.

When people want to have a good time, to have fun, they go to Tivoli, to the carnival, to a night club or a discotheque. Colour is used in all these places.

'There is an incredible number of people who fight against the use of colours - but there are also many people who fight against common sense.'

Verner Panton

Architect/Arkitekt Luis Barragan.

Mere mod til farver

Jeg er ked af, at så mange mennesker ikke forstår, at farver også er en dimension til forøgelse af oplevelsen.

Brugen af farver er som livet. Man må have et mål. Målet kan næsten være hvad som helst - også at sætte de mest forfærdelige farver sammen.

I alle stilvigtige perioder var farven integreret i rummet. Man kan gøre rum lystige eller alvorlige, hyggelige eller kølige, billige eller fornemme med farver.

I børnehaven lærer man at elske farver og at bruge dem. Senere, i skolen og i livet lærer man noget, der hedder smag. Det betyder for de fleste at begrænse brugen af farver.

Når folk skal more sig, går de i Tivoli, til karneval, på natklub eller på diskotek. Alle steder bruger man farver.

'Der findes utrolig mange mennesker, der kæmper imod brugen af farver - men der findes også mange, der kæmper imod sund fornuft'

Verner Panton

*One sits more comfortably
on a colour that one likes.*

Verner Panton

*Man sidder bedre
på en farve, man kan lide.*

Verner Panton

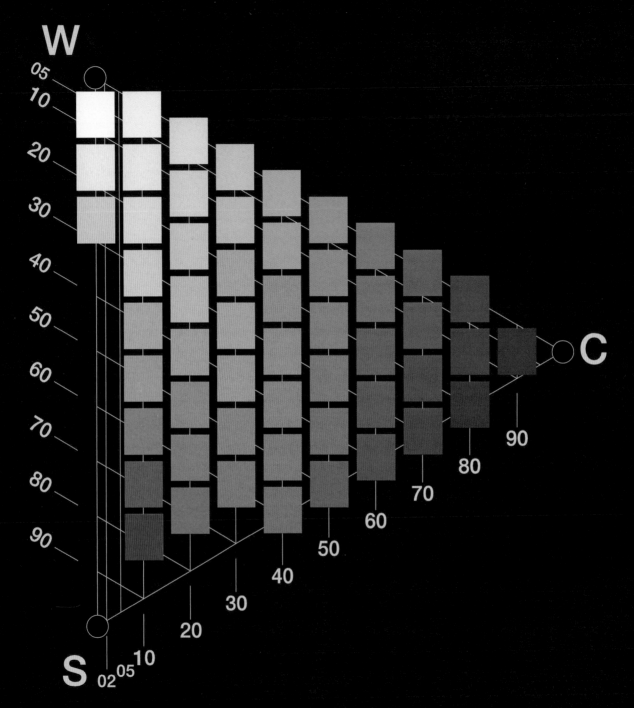

A natural colour system

NCS (Natural Color System) is a logical colour system based on human colour perception. With NCS, any colour can be described and assigned an unambiguous NCS label.

The system is based on the six 'pure' primary colours: White, black, yellow, red, blue and green. Their relations are illustrated in a double cone, depicted as a colour circle and a colour triangle. The circle shows the 'hue', the triangle the 'nuance'.

NCS is in use in many places all over the world, among others, by architects, professional colour consultants, designers, industry and house painters.

In the NCS Colour Atlas, there are 1,750 standard colour samples, that are all available as separate colour samples and as sample collections in different sizes.

The system is available from the Scandinavian Colour Institute, SCI, in Stockholm or from any of its representatives abroad.

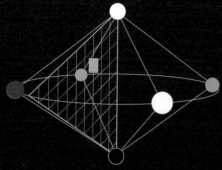

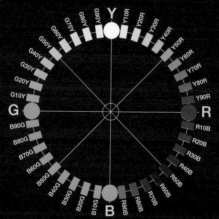

The NCS is based on a similar idea to that of e g Ostwald's (1917) or Barding's colour system (1956), cf pages 9, 12 and 13.

NCS bygger på en lignende idé som bl a Ostwalds (1917) eller Bardings farvesystem (1956), jf side 9, 12 og 13.

Et naturligt farvesystem

NCS (Natural Color System) er et logisk opbygget farvesystem, som er baseret på menneskets farvesyn. Med NCS kan alle farver beskrives og gives entydige NCS betegnelser.

Systemet bygger på de seks 'rene' grundfarver: Hvid, sort, gul, rød, blå og grøn. Deres indbyrdes slægtskab illustreres i en dobbeltkegle, der afbildes som en farvecirkel og en farvetrekant. I cirklen finder man 'kulørtheden' og i trekanten 'nuancen'.

NCS anvendes mange steder i verden af bl a arkitekter, professionelle farvesættere, designere, industrien og malervirksomheder.

I NCS Farveatlas findes 1.750 standardfarveprøver, der hver især igen fås som separate farveprøver eller farveprøvesamlinger i forskellige størrelser.

Systemet forhandles af Skandinavisk Farveinstitut, SCI i Stockholm eller dets repræsentanter i udlandet.

Colour
to fit a purpose

Colour can help to mark
the environment in which
a product is to be used.

In 1990 Raaco introduced
its system of toolboxes in
grey plastic.

Later the same boxes were
introduced in olive green for
anglers.

The change of colour has
targeted the boxes for an
entirely new market.

No big changes here.

Farve
til formålet

Farve kan være med til at
markere det miljø, et produkt
skal anvendes i.

I 1990 introducerede Raaco
sit system af værktøjskasser
i mellemgrå plast.

Siden er de samme kasser
introduceret i olivengrøn for
lystfiskere.

Ændringen af farven gør,
at produktet nu henvender
sig til en helt ny målgruppe.

*Her sker ikke
de store ændringer.*

Raaco toolbox/værktøjskasse

Design:
Hans Skillius Design AB & raaco

Manufacturer/Producent:
raaco - A/S E Damberg Group

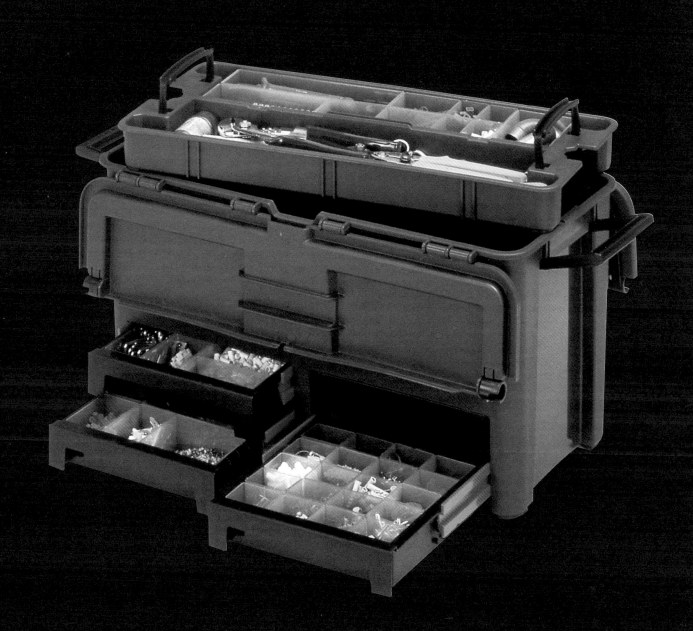

Colour, symbolic value and size

The S-class Mercedes used by the German chancellor is almost always black. It demonstrates both power and seriousness. Maybe that is why successful leaders the world over almost always prefer their S-class Mercedes in black.

If this big Mercedes becomes bright red instead, its signal value changes.

Now, it may be an expensive car belonging to a fancy play-boy in New York or a success-ful entertainer - in any case: Fun and lots of money.

Colours used in industrial products may contain clear symbol values. But symbol value is not just a matter of colour. It is also a matter of size.

The way that the colours black and red are experienced in a small C-class Merdeces may be quite different from how they are experienced in the S-series. Anyway, the S-series only comes in black, grey and dark blue.

Is colour choice based on job and income?

Mercedes C

Design:
Daimler-Benz AG

Manufacturer/Producent:
Daimler-Benz AG

Farve, symbolværdi og størrelse

Den Mercedes i S-klassen, som fragter den tyske kansler frem, er næsten altid sort. Den demonstrerer både magt og seriøsitet. Måske er det derfor, succesfulde ledere verden over næsten altid foretrækker deres Mercedes S i sort.

Hvis den store Mercedes i stedet er postkasserød, skifter den signalværdi.

Nu kan den være en dyr bil, som tilhører en playboy i New York eller en succesfuld entertainer - under alle omstændigheder: Sjov og mange penge.

Farver anvendt på industriprodukter kan have klare symbolværdier. Men symbolværdi er ikke kun et spørgsmål om farve, men også om størrelse.

Oplevelsen af farverne sort og rød på en lille Merdeces i C-serien kan være helt anderledes end i S-serien. I øvrigt leveres S-serien kun i sort, grå og mørkeblå.

Vælger man farve efter job og indkomst?

Mercedes S

Design:
Daimler-Benz AG

Manufacturer/Producent:
Daimler-Benz AG

31

Colours for product differentiation

For many years Braun confined itself to colours like white and black and, as a merry prank, grey.

At its introduction the Braun KF40 coffee maker was presented not only in black and white, but also in red.

A simple and effective way to mark the product.

Try something new!

Farve til produkt-differentiering

Braun har i mange år stort set holdt sig til farverne hvid, sort og - når man slog gækken løs - grå.

Braun KF40 kaffemaskinen blev ved introduktionen ikke kun præsenteret i hvid og sort, men også i rød.

En enkel og effektfuld måde at markere produktet på.

Prøv noget nyt.

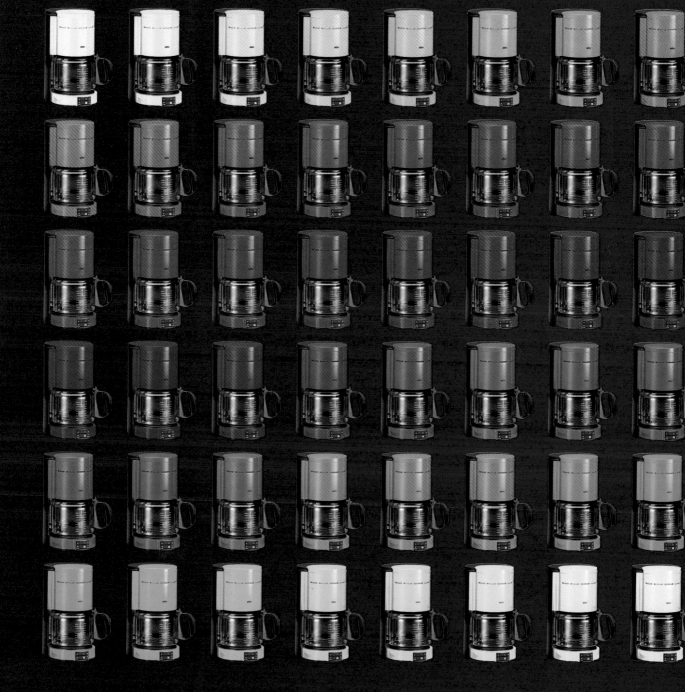

Colours for model differentiation

Colours can also be used to differentiate between various products in a series.

When Nilfisk launched its new GS200 model, it also introduced a new colour: Blue.

It has later been complemented by light and dark grey colours for a simpler and a better equipped version of the new product, respectively.

They are very imaginative!

Farve til model-differentiering

Farver kan også være et redskab til at skelne mellem forskellige produkter inden for en serie.

Da Nilfisk introducerede sin nye model GS200, lancerede man samtidig en ny farve: Blå.

Den er senere suppleret med lys grå og mørk grå for henholdsvis en enklere og en mere veludstyret udgave af det nye produkt.

De er meget fantasifulde!

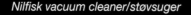

Nilfisk vacuum cleaner/støvsuger

Design:
Hanne Uhlig
Jacob Jensen

Manufacturer/Producent:
Nilfisk A/S

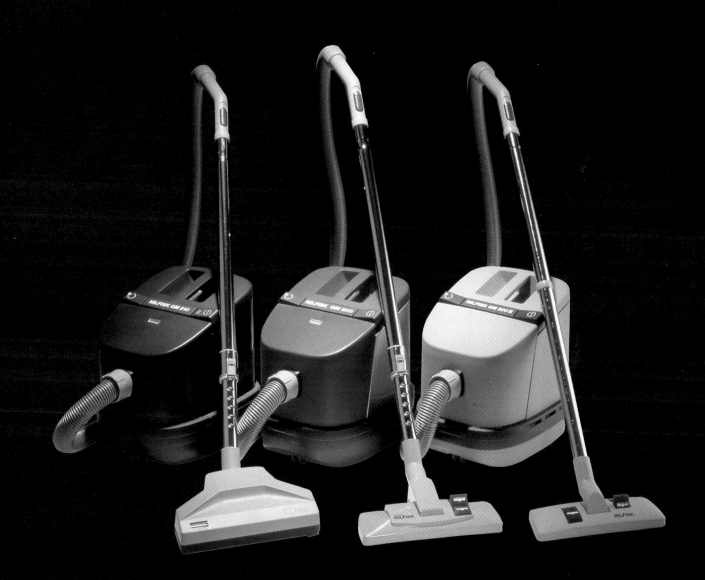

Colour for
the indication of functions

On a control panel, muted
discretion is unlikely to be
considered a virtue. This is
in fact a place where colours,
correctly used, may help to
indicate meaning, priority and
system.

Farver til
markering af funktioner

På et betjeningspanel er
diskretion sjældent nogen
fordel. Her kan farve - rigtigt
anvendt - være med til at
markere betydning, rangorden
og system.

Shades of grey on a grey
electronic control panel may
be found 'elegant' by some,
but it will rarely be functional.
This AT&T keyboard uses
colours as a means to divide
the control panel into areas
relating to specific functions.

Grey is not always elegant.

Gråt i gråt til et elektronisk
betjeningspanel kan for nogle
være 'pænt', men hensigts-
mæssigt er det sjældent. Dette
tastatur fra AT&T er via farve
med til at opdele betjenings-
panelet i arealer, der henviser
til bestemte funktioner.

Gråt er ikke altid pænt.

Keyboard/Tastatur

Design:
AT&T

Manufacturer/Producent:
AT&T

Colours
that move with the times

Colours can be a useful device for making otherwise unchanging products keep up with changing times.

Arne Jacobsen's famous chairs of moulded plywood were introduced in 1951 in black and white, and in different shades of plywood. A few years later the manufacturer, Fritz Hansen, introduced the first actual programme of painted chairs.

Since then the manufacturer has introduced several new colour programmes, beginning with colours coordinated with a series of textiles designed by Verner Panton, and later with colours chosen by Poul Gernes.

And later, you can always give them a new coat of paint yourself.

Farver,
der følger med tiden

Farver kan være et godt redskab til at få et produkt, der ellers ikke ændrer sig, til at følge med tiden.

Arne Jacobsens berømte formpressede stole i krydsfinér blev i 1951 introduceret i farverne sort og hvid og i forskellige træsorter i finér. Et par år efter lancerede Fritz Hansen et første egentligt program for de malede stole.

Siden da har virksomheden flere gange lanceret nye farveprogrammer, først med farver som fulgte en textilserie tegnet af Verner Panton og siden med farver valgt af Poul Gernes.

Og siden kan man altid selv gi' dem en tur med penslen.

The Ant/Myren chair/stol

Design:
Arne Jacobsen

Manufacturer/Producent:
Fritz Hansen A/S

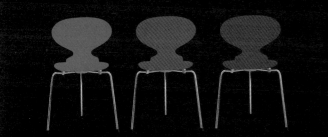

Colour
and safety

Colour is an important factor in all types of visual information: A poor choice of colours may blur a message, while colours well chosen will enhance it.

Some years ago, SAAB pioneered speedometers with orange hands on a black background with green lettering. This made the reading clear and safe, also when seen in the secondary field of vision.

SAAB also uses 'black panel' instruments, i e displays which light up only when there is a message to be shown. In 'neutral' they are black.

If only the bulbs are on.

Farve
og sikkerhed

Farver er en vigtig faktor i alle former for visuel information: Dårligt valgte farver kan sløre et budskab, mens rigtigt valgte farver kan styrke det.

SAAB introducerede i sin tid som den første bilfabrik speedometre med orange visere på sort bund med grøn ciffermarkering. Det gjorde aflæsningen tydelig og sikker, også i det sekundære synsfelt.

SAAB anvender også 'black panel' instrumenter, dvs instrumenter med displays, som kun tændes, hvis der er noget at fortælle. I neutral tilstand er de sorte.

Hvis bare pærerne så brænder.

Saab 900

Design:
Saab

Manufacturer/Producent:
Saab

Visible or
invisible colours

Should a thing be seen or
rather concealed? Colour may
be a useful means for making
an object stand out or making
it disappear.

The dark blue Copenhagen
busshelters merge discreetly
with the cityscape, whereas,
e g, the red telephone boxes
and letterboxes stand out any-
where in the city or countryside.

Should they be visible or not?

Synlige eller
usynlige farver

Skal en ting ses eller helst
gemmes bort? Farve kan være
et nyttigt redskab til at få en
ting til at blive synlig eller til
at få den til at forsvinde.

Buslæskærmene i København
i mørk blå falder diskret ind
i bybilledet, mens f eks de
røde telefonbokse og post-
kasserne springer i øjnene
overalt i byen og på landet.

Skal de ses eller ikke ses?

Open telephone box/Åben telefonboks

Design:
Utzon Associates

Manufacturer/Producent:
Tele Danmark A/S

Busshelter/Buslæskærm

Design:
Knud Holscher Industriel Design

Manufacturer/Producent:
AFA-JCDecaux

Colour ratios
as a signal

In addition to the colours themselves, the ratio of colours is an important factor in our identification of a multi-coloured picture.

A ratio of warm yellow and bright red of 4:1 signals 'Kodak', when we are talking visual identity.

The reverse ratio, 1:4, between the same colours no longer says Kodak, but 'McDonald's'.

It's that simple. Maybe.

Blandingsforhold
som signal

Ikke kun farver, men også blandingsforholdet mellem farver, er en vigtig faktor i vores identifikation af et billede, som indeholder flere farver.

En fordeling mellem varm gul og højrød i forholdet 4:1 signalerer 'Kodak', når vi taler visuel identitet.

Den modsatte fordeling, 1:4, mellem de samme farver, siger ikke længere Kodak, men 'McDonald's'.

Så enkelt er det. Måske.

Colour for marking
a company's visual identity

A colour may - if it is used
consistently - become the
symbol of a company.

Originally, Gardena's mintgreen/
orange colours were due to
a mishap - that was what a
foreign subcontractor made of
a specification over the phone,
that prescribed red/green.

Farve til markering af
en virksomheds identitet

En farve kan - anvendt
konsekvent - blive et symbol
på en virksomhed.

Gardenas mintgrøn/orange
farver skyldtes oprindeligt
et uheld - det var hvad en
udenlandsk underleverandør
fik ud af en telefonisk specifi-
kation, som foreskrev rød/grøn.

Gardena garden tools/haveredskaber

Design:
Franco Clivio

Manufacturer/Producent:
Gardena

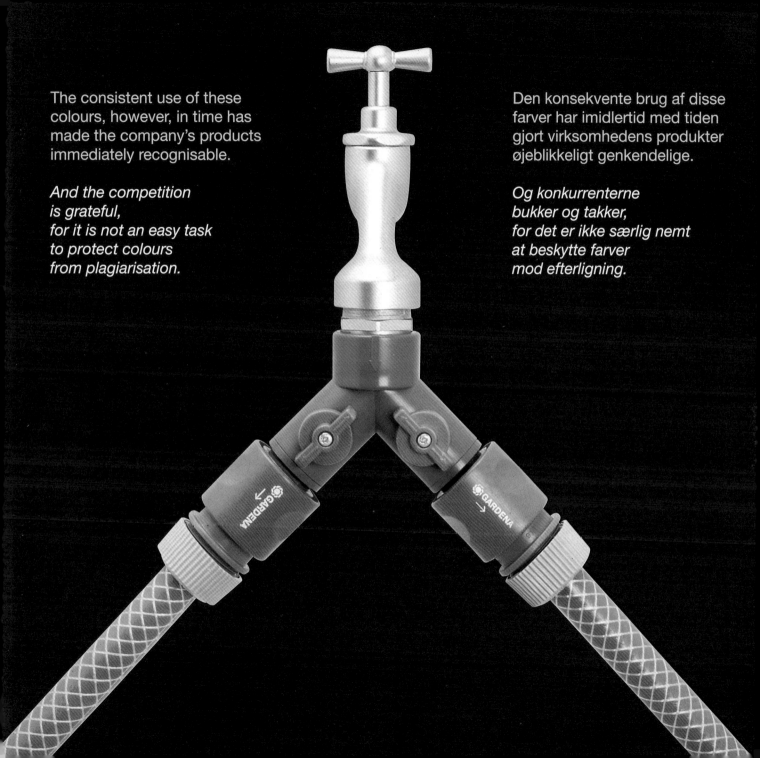

The consistent use of these
colours, however, in time has
made the company's products
immediately recognisable.

And the competition
is grateful,
for it is not an easy task
to protect colours
from plagiarisation.

Den konsekvente brug af disse
farver har imidlertid med tiden
gjort virksomhedens produkter
øjeblikkeligt genkendelige.

Og konkurrenterne
bukker og takker,
for det er ikke særlig nemt
at beskytte farver
mod efterligning.

Literature/Litteratur:

Albers, Josef:
'Interaction of Colour'
M DuMont Schauberg, 1970
ISBN 3-7701-056-7

Gerritsen, Frans:
'Farbe'
Otto Maier Verlag Ravensburg, 1972
ISBN 3-473-61561-7

Gerstner, Karl:
'Der Geist der Farbe'
Deutsche Verlags-Anstalt, 1981
ISBN 3-421-06063-0

Itten, Johannes:
'Kunst der Farbe'
Otto Maier Verlag Ravensburg, 1961
ISBN 3473-61551 X

Küppers, Harald:
'Farbe'
Georg D W Callwey München, 1972
ISBN 3-7667-0229-7

Matthaei, Rupprecht:
'Goethes Farbenlehre'
Otto Maier Verlag Ravensburg, 1971
ISBN 3-473-61552-8

Sharpe, Deborah T:
'The Psychology of Color and Design'
Littlefield Adams & Co, 1974
ISBN 0-8226-0313-6

Smith, Peter:
'The Dialectics of Color'
Edited by Tom Porter + Byron Mikellides
Van Nostrand Reinhold Co, 1976

Zwimpfer, Moritz:
'Farbe, Licht, Sehen, Empfinden'
Verlag Paul Haupt Bern, 1985

*In the animal
kingdom,
the males are
the colourful ones.
Among humans
it is the females.
Why?*

*Hos dyrene
er det hannerne,
der anvender farve.
Hos menneskene
er det hunnerne.
Hvorfor mon?*